MINECRAFT

1.ª edición: octubre 2023
2.ª edición: mayo 2024

Editado por HarperCollins Ibérica, S. A., 2024
Avenida de Burgos, 8B – Planta 18
28036 Madrid
harpercollinsiberica.com

Publicado originalmente por *HarperCollinsPublishers*, 1 London Bridge Street,
Londres SE1 9GF (Reino Unido) con el título *Explorer's Handbook*.

Agradecimientos a Sherin Kwan, Alex Wiltshire Jay Castello y Kelsey Ranallo.

Este libro es creación original de Farshore.

ISBN: 978-84-18774-89-8
Depósito legal: M-22673-2023

Maquetación: Gráficas 4
Adaptación de cubierta: equipo HarperCollins Ibérica

Impreso en Italia.

SEGURIDAD *ONLINE* PARA LOS MÁS JOVENES

¡Pasar el rato *online* es muy divertido! Os proponemos unas reglas sencillas para tu seguridad.
Es responsabilidad de todos que Internet siga siendo un lugar genial.
– Nunca des tu verdadero nombre ni lo pongas en tu nombre de usuario.
– Nunca facilites información personal.
– Nunca le digas a nadie a qué colegio vas ni cuántos años tienes.
– No des a nadie tu contraseña, excepto a tus padres o tutores.
– Recuerda que debes tener 13 años o más para crear una cuenta en muchas páginas web.
– Lee siempre la política de privacidad y pide permiso a tus padres o tutores antes de registrarte.
– Si ves algo que te preocupa o te molesta, díselo a tus padres o tutores.
Protégete *online*. Todas las páginas web que aparecen en este libro son correctas en el momento
de la impresión. Sin embargo, HarperCollins no se hace responsable del contenido de terceros.
Recuerda que el contenido *online* puede cambiar y hay páginas web cuyos contenidos no son adecuados
para niños. Recomendamos que los niños solo accedan a Internet bajo supervisión.

MINECRAFT

MANUAL DEL EXPLORADOR

ÍNDICE

EMPIEZA TU AVENTURA

HOGAR, DULCE HOGAR 8
RECOMPENSAS Y PELIGROS 10
ARMADURA 12
ALIMENTOS Y BIENES 14
ELIGE TU EQUIPAMIENTO 16
PLANIFICA LA RUTA 18
CARTOGRAFÍA 20

PAISAJES TEMPLADOS

LLANURAS 24
ALDEAS 26
BOSQUES 28
MANSIÓN DE BOSQUE 30
JUNGLAS 32
TEMPLO DE LA JUNGLA 33
CEREZAL 34
PANTANOS 35

PAISAJES CÁLIDOS

DESIERTOS 38
TEMPLO DEL DESIERTO 40
SABANAS 42
PÁRAMOS 43

PAISAJES FRÍOS

COLINAS VENTISCOSAS 46
PUESTO DE SAQUEADORES 47
TAIGA 48
IGLÚ 49
LLANURAS NEVADAS 50
AGUJAS DE HIELO 51
LADERAS NEVADAS 52
PICOS 53

PAISAJES ACUÁTICOS

RÍOS 56
CAMPOS DE CHAMPIÑONES 58
OCÉANOS Y PLAYAS 60
NAUFRAGIO 62
RUINAS OCEÁNICAS 64
MONUMENTO OCEÁNICO 65

PAISAJES SUBTERRÁNEOS

BAJO TIERRA 68
CUEVAS 70
POZO DE MINA 72
FORTALEZA 74
CIUDAD ANTIGUA 75

EL INFRAMUNDO

VIAJE AL INFRAMUNDO 78
DESIERTOS DEL INFRAMUNDO 79
BOSQUES DEL INFRAMUNDO 80
VALLE DE ALMAS 82
DELTAS DE BASALTO 83
BASTIÓN EN RUINAS 84
FORTALEZA DEL INFRAMUNDO 85

EL END

CÓMO LLEGAR AL END 88
EL END 90
CIUDAD DE END 92

¡TE DAMOS LA BIENVENIDA AL MANUAL DE EXPLORADOR DE MINECRAFT!

El mundo de Minecraft es enorme y variado. Doma caballos en llanuras cubiertas de pasto o adéntrate en la jungla para descubrir loros y pandas. O explora templos entre las dunas del desierto y escala imponentes picos de hielo desde donde contemplar mares helados.

¡Por no hablar del Inframundo y el End! Son lugares peligrosos, pero están llenos de recursos valiosos y aventuras emocionantes para los exploradores capaces de sobrevivir en ellos.

Con ayuda de este libro, ¡ese explorador puedes ser tú! ¿Quieres aprender todo lo que hace falta para llegar a la cima de la montaña más alta o sumergirte hasta el fondo de un océano lleno de calamares? Este manual será tu guía para todos los biomas y te explicará con detalle lo que puedes encontrar en ellos y los desafíos que te aguardan.

Tanto si acabas de empezar tu viaje en Minecraft como si ya eres un aventurero curtido, siempre hay algo nuevo que descubrir más allá de la próxima colina...

¡VAMOS A EXPLORAR!

– MOJANG STUDIOS

EMPIEZA TU AVENTURA

Todo viaje tiene un comienzo y, al abrir este manual,
has mostrado tu deseo de empezar el tuyo. Puede que sientas
la tentación de pasar directamente a la acción, pero debes
prepararte bien. Empecemos repasando las habilidades
básicas que necesita todo explorador del Mundo superior
para sobrevivir.

HOGAR, DULCE HOGAR

RECOGE

Primero, busca árboles en las inmediaciones y recoge madera de sus troncos. Abre tu menú de fabricación y conviértela en tablones de madera para crear una mesa de trabajo.

FABRICA

Con la madera que has recogido puedes hacer tablones y palos. Te servirán para crear herramientas, como un pico de madera con el que obtener adoquín para, por ejemplo, fabricar herramientas de piedra.

Receta de mesa de trabajo

Receta de pico de madera

Receta de puerta de roble

CONSTRUYE

Pronto llegará la noche y, con ella, criaturas hostiles. Protégete construyendo una base de adoquines con el techo plano, de 4×5 bloques como mínimo. Ponle una puerta de madera para poder salir y que las criaturas no puedan entrar.

SUPERCONSEJO

Es tentador recoger solo los recursos que necesitas, aunque la mayoría los puedes almacenar en pilas de 64. ¡Tener de sobra nunca viene mal!

¡Te has generado! Bienvenido al Mundo superior. Hay tanto por descubrir que querrás ponerte a explorar enseguida, pero antes debes hacer algunos preparativos esenciales. Esta tierra está llena de emociones, pero, al caer la noche, llegan los peligros.

OBJETOS ESENCIALES

ARMAS

A pesar de su belleza, el Mundo superior está lleno de amenazas. De algunas podrás defenderte con ingenio, pero para otras necesitarás la fuerza de una espada o un arco.

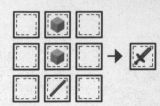

Receta de espada de madera

HERRAMIENTAS

Las herramientas de piedra duran más que las de madera, pero también se gastan y hay que renovarlas. Si fabricas de más y las llevas en el inventario, ¡nunca te quedarás sin ellas!

Receta de cama

Receta de horno

ALIMENTOS

Puedes fabricar un horno con 8 bloques de adoquín. Te servirá para preparar alimentos como filete o cordero para saciar tu hambre, o para fundir metales con los que fabricar herramientas y armas más duraderas.

CAMA

Una cama no es solo para dormir. Será tu punto de regeneración durante el juego. Si te sucede alguna tragedia, te regenerarás aquí. Para fabricar una, necesitarás tablones de madera y lana de oveja.

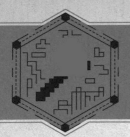

RECOMPE SAS Y PELIGROS

RECOMPENSAS

DIAMANTE

Con un pico de hierro o uno más resistente, puedes extraer mineral de diamante, del que obtendrás un diamante con el que podrás fabricar armaduras y equipamiento que duren más y causen más daño.

HIERRO

Encontrarás mineral de hierro bajo tierra. Al romperlo, obtendrás hierro en bruto. Fúndelo en el horno para obtener lingotes de hierro, muy útiles para mejorar tus armas y armadura.

ORO

Un pico de hierro o más resistente romperá minerales valiosos, como el oro. Las herramientas de oro minan más rápido y se encantan mejor, pero son menos resistentes y hay bloques que no pueden minar.

SUPERCONSEJO

Al derrotar a una criatura, puede que suelte objetos o recursos. Los esqueletos, por ejemplo, pueden soltar flechas, y los zombis, armas. Muchos animales también soltarán carne: cómela cocinada para que no baje tu nivel de hambre.

Hay un mundo por explorar lleno de lugares únicos y recursos por descubrir. Cada rincón de una cueva puede ocultar valiosas recompensas... o peligrosas amenazas al acecho.

PELIGROS

CRIATURAS HOSTILES

Son agresivas y te atacarán si te encuentras en su rango de detección. No te preocupes: este manual te enseñará formas de protegerte en tus viajes.

LAVA

Encontrarás lava en muchos lugares del Mundo superior. Su resplandor es atrayente, pero no te acerques... Su daño es letal.

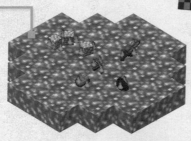

AGUA

En el Mundo superior hay grandes océanos y ríos. Solo puedes contener la respiración 15 segundos, ¡ten cuidado!

NIEVE

En lugares muy fríos encontrarás nieve. Si no vas preparado, te hundirás en ella, avanzarás más lento y podrías sufrir daño por congelación.

ALTURAS

¡Escalar montañas es divertido! Las vistas desde un punto elevado son preciosas, pero una caída..., ya no tanto. Precipitarte desde una altura de 23 bloques o más puede ser fatal.

ARMADURA

PROTECCIÓN

Llevar armadura puede suponer la diferencia entre una muerte súbita o vivir para contarlo. Te permite asumir más daño y hace que los puntos de salud bajen más despacio. Una armadura, que puede encantarse de muchas maneras, te ayudará a sobrevivir en el frío o bajo el agua.

TU PRIMERA ARMADURA

Intenta ponerte una armadura lo antes posible. Recoge cuero de vacas a las que derrotes para hacerte una armadura de cuero. Es una defensa básica y tiene otros beneficios, como resguardarte del frío.

SUPERCONSEJO

El daño que recibas estropeará tu armadura. Si se te rompe mientras vagas perdido en una gruta profunda o en el Inframundo..., podrías encontrarte en un buen aprieto. Intenta llevar armaduras en el inventario por si las necesitas.

MATERIALES AVANZADOS

En tu camino para convertirte en un experimentado explorador que ha visitado muchos biomas y dimensiones, recogerás distintos materiales que te servirán para aumentar la eficacia de tu armadura.

No es fácil encontrar diamante e inframundita, pero son los materiales más resistentes.

Los muchos peligros del Mundo superior se manifestarán en cuanto te adentres en lo desconocido. La preparación es algo esencial en la vida de un explorador, y estar listo para protegerte de ataques debería ser de las primeras cosas que tengas en cuenta.

CASCO

Los cascos se ponen en el espacio de la cabeza de tu inventario. Te darán hasta 3 puntos de armadura, y si los encantas, poseerán habilidades especiales. La Protección del Fuego te será útil al explorar el Inframundo.

CORAZA

Se pone en el espacio del pecho y da más puntos de armadura que cualquier otro objeto. Puedes encantarla de varias maneras, como con Protección contra Proyectiles, que va genial para sobrevivir a ataques a distancia.

MALLAS

Las mallas van en el espacio para las piernas. No ofrecen tanta protección como una coraza, pero puedes aumentar su resistencia con el encantamiento de Irrompible.

BOTAS

Son lo que menos protege, pero completan tu atuendo y tienen sus ventajas. Con el encantamiento Agilidad acuática, andarás más rápido bajo el agua, y unas botas de cuero te protegerán del frío de la nieve.

ALIMENTOS Y BIENES

ALIMENTOS

Tu hambre aumentará con cualquier cosa que hagas en Minecraft. Puede tener un efecto importante en tu capacidad para sobrevivir a una aventura, así que es importante ir bien preparado. Explora la superficie: encontrarás muchos alimentos.

CARNE CRUDA		CARNE COCINADA	
TERNERA CRUDA	3	FILETE COCINADO	8
CERDO CRUDO	3	CHULETA COCINADA	8
POLLO CRUDO	2	POLLO COCINADO	6
CORDERO CRUDO	2	CORDERO COCINADO	6
CONEJO CRUDO	3	CONEJO COCINADO	5

COCINAR

Al derrotar a animales, dejarán caer carne o pescado crudos (o cocinados, si los derrotas con fuego) que puedes comer. Si están crudos, cocínalos en un horno para obtener los máximos puntos de hambre.

PESCADO CRUDO		PESCADO COCINADO	
BACALAO CRUDO	2	BACALAO COCINADO	5
SALMÓN CRUDO	2	SALMÓN COCINADO	6
PEZ TROPICAL	1	NO SE PUEDE COCINAR	

SUPERCONSEJO

También puedes comer verdura para recuperar puntos de hambre. Si encuentras patatas, zanahorias o remolachas, ¡recógelas y guárdatelas! Hay muchos cultivos que tienen usos alternativos.

Aunque disponer de armas, herramientas y armadura en tu inventario es importantísimo, también deberías reservar espacio para comida y bienes. Saber qué llevarte de viaje te evitará situaciones desagradables, como quedarte sin comida en el desierto o bajo tierra.

BIENES

Tu inventario tiene 4 espacios de armadura, uno de mano secundaria, 27 de almacenamiento y 9 barras activas que aparecerán en tu pantalla de información. Puedes almacenar en pilas de hasta 64 objetos del mismo tipo, así que recoge lo que puedas y tenlo bien organizado.

SUPERCONSEJO

Al regenerarte, los objetos que fabriques antes serán los más importantes. En viajes largos, los básicos te mantendrán a salvo.

BARCO

Cruzar masas de agua lleva su tiempo y puede ser peligroso. Un barco te lo pondrá más fácil. Además, es sencillo de fabricar.

HORNO

Sirve para cocinar, derretir materiales como el hierro y el oro y hacer carbón. Podrás usarlo siempre que tengas combustible.

ANTORCHA

La luz de la antorcha impide que se generen criaturas cerca de ti, algo muy útil para no sufrir emboscadas mientras minas.

MADERA

Se usa para fabricar armas y otros objetos como antorchas, barcos y camas. También sirve como combustible para hornos.

ELIGE TU EQUIPAMIENTO

ARMAS

TIPO						
POTENCIA DE ATAQUE	5	6	7	5	8	9
DURABILIDAD	60	132	251	33	1562	2032

ESPADA

En el cuerpo a cuerpo, el daño que causa la espada aumenta a cada golpe, lo que es muy útil para criaturas que no se pueden derrotar de una vez. Se hace con un palo de madera y otro material, desde madera endeble a resistente inframundita.

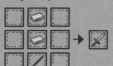

Receta de espada de hierro

TIPO						
POTENCIA DE ATAQUE	4	5	6	4	7	8
DURABILIDAD	60	132	251	33	1562	2032

HACHA

Un hacha es la manera más rápida de romper bloques de madera como troncos y tablones. Igual que la espada, su durabilidad será mayor dependiendo de los materiales. Puede usarse como arma en lugar de una espada, aunque no es tan potente.

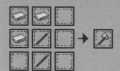

Receta de hacha de hierro

TIPO	
POTENCIA DE ATAQUE	1-11
DURABILIDAD	384

ARCO

El arma preferida de los esqueletos. Es un arma de largo alcance, perfecta para derrotar a criaturas a las que es mejor no acercarse, como los creepers. Necesitarás flechas y buena puntería.

Receta de arco

	POTENCIA DE ATAQUE	9
	DURABILIDAD	464

BALLESTA

Para hacer una ballesta, hacen falta más ingredientes que para otras armas. Tiene más alcance que un arco, pero se tarda más en cargar. Lanza cohetes si quieres resultados explosivos en un combate.

Receta de ballesta

TIPO	
POTENCIA DE ATAQUE	8-9
DURABILIDAD	250

TRIDENTE

Es un arma potente para el combate cuerpo a cuerpo y a distancia. Para conseguir uno, deberás derrotar a un ahogado que lo tenga y esperar que lo suelte.

El secreto de la supervivencia es llevar el equipamiento adecuado. Si lo haces, estarás preparado para cualquier situación en el Mundo superior, ya sea cultivar o luchar. Veamos las herramientas básicas, cómo fabricarlas y cuándo usarlas.

HERRAMIENTAS

TIPO						
POTENCIA DE ATAQUE	3	4	5	3	6	7
DURABILIDAD	59	131	250	32	1561	2031

AZADA

Úsala para crear terreno cultivable a partir de bloques de tierra y hierba o caminos de tierra, algo muy útil si quieres tener una granja, de la que podrás obtener muchas cosechas. La puedes usar para cosechar también.

Receta de azada de hierro

TIPO						
POTENCIA DE ATAQUE	3	4	5	3	6	7
DURABILIDAD	59	131	250	32	1561	2031

PICO

Es posible que acabe siendo la herramienta que más uses. Es ideal para extraer minerales y bloques de metal y piedra. También sirve como arma cuerpo a cuerpo en un apuro, pero es más lento que la espada.

Receta de pico de hierro

TIPO						
POTENCIA DE ATAQUE	2	3	4	2	.5	6
DURABILIDAD	59	131	250	32	1561	2031

PALA

Llegará el día en que debas excavar una pila de bloques para obtener minerales o modificar el entorno. No hay forma más rápida de hacerlo que con una pala, que también te servirá para abrir caminos de tierra que te faciliten llegar a tu destino.

Receta de pala de hierro

PLANIFICA LA RUTA

BRÚJULA

Es fácil perderse de regreso a la base; una brújula indicará siempre la dirección de tu punto de regeneración para que puedas encontrar el camino.

MAGNETITA

Al poner la brújula sobre un bloque de magnetita, su aguja señalará la magnetita en lugar de tu punto de regeneración. Se hace con inframundita, que solo se da en el Inframundo, así que no es accesible a los novatos.

¿ADÓNDE IR?

Tu destino depende de tus propósitos. Hay quien prefiere vagar hasta dar con algo interesante, pero otros quieren objetivos claros. Este libro te ayudará a elegir tu propia aventura.

¿QUÉ BUSCAR?

Tus aventuras dependerán de lo que quieras experimentar. Tal vez quieras recoger diamantes para hacerte una armadura, o ver a todas las criaturas que existen. Tú eliges...

En Minecraft hay tanto que ver y hacer que cuesta decidir por dónde empezar. Hay muchos biomas por descubrir, llenos de recursos, habitantes interesantes y estructuras únicas. He aquí algunas de las formas de llegar hasta ellos.

A PIE

Podrás cubrir enormes distancias. Tu barra de hambre bajará más rápido si corres, y no podrás hacerlo si estás muy hambriento.

A CABALLO

Si domas un caballo y le pones una silla, podrás cabalgarlo. Es una forma veloz de viajar, con habilidades de salto mejoradas.

EN BURRO

Encontrarás burros por las llanuras. Son más lentos que los caballos, pero pueden transportar un cofre. No olvides ensillarlo.

EN MULA

Son el cruce de un caballo con un burro. Cargan cofres y son más rápidas que los burros, pero menos que los caballos.

EN CAMELLO

Tienen la habilidad única de salvar hasta 1,5 bloques de altura (más que otras monturas), correr por desfiladeros y llevar a 2 jugadores a la vez.

SUPERCONSEJO

Puedes arrastrar tus caballos, burros y mulas (¡y cerdos!) tras tu barco con una rienda. ¡Así cruzarás el agua con tus animales!

CARTOGRAFÍA

CONSEGUIR UN MAPA

Se hace con 8 papeles (fabricados con caña de azúcar). Si le sumas una brújula (hecha de polvo de redstone y lingotes de hierro), podrás añadir marcadores de ubicación. Puedes incorporar la brújula después, en un yunque o en una mesa de trabajo o de cartografía.

MESA DE CARTOGRAFÍA

La encontrarás en la casa de un cartógrafo en una aldea. Con ella podrás hacer un mapa en blanco con una sola hoja de papel. También te permiten ampliar y reducir los mapas para crear registros de mayor tamaño de tu mundo y así poder ubicar las estructuras que descubras, como naufragios.

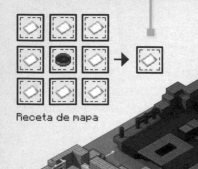

Receta de mapa

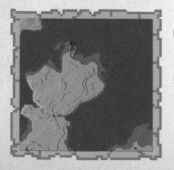

Quizá descubras una estructura a la que debas regresar más adelante. Si usas el mapa cerca de ella, marcarás su ubicación para que puedas volver a encontrarla.

Hay tanto por explorar que tal vez te cueste acordarte de todo. Los lugares que has visitado, todo lo que has visto, los recursos que no tenías espacio para recoger y dejaste para otro momento... Los mapas son una forma de recordar tus viajes y descubrimientos.

USAR EL MAPA

Al abrirlo, aparecerá una vista vertical de tu entorno y de cada lugar que visites. En el mapa, verás tu ubicación y podrás señalar puntos de interés o lugares por explorar, como puestos de saqueadores.

MAPAS EN EL INFRAMUNDO

En el Inframundo podrás usar un mapa, pero con resultados limitados. Al abrirlo, el terreno no quedará registrado y tu indicador de jugador girará sin parar. Sin embargo, marcar hitos en mapas enmarcados tiene su utilidad.

¡HOLA, CRIATURA!

ALDEANO CARTÓGRAFO

Muchos aldeanos, excepto los nitwits, tienen una profesión. Un cartógrafo te cambiará esmeraldas por un mapa y, más adelante, por mapas de explorador de los mares o de los bosques.

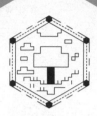

PAISAJES TEMPLADOS

¡Vamos allá! Es hora de aventurarse hacia lo desconocido, y la mejor forma de empezar son estos biomas. Con su clima benevolente, no tendrás que enfrentarte a temperaturas heladas ni al calor intenso y podrás disfrutar de todas las cosas interesantes y los peligros que contienen.

BIOMAS:
LLANURAS

LLANOS

Planos y cubiertos de hierba, algunas flores y arboledas, los encontrarás a menudo cerca del agua. Son un lugar ideal para los exploradores principiantes que quieran iniciarse en la supervivencia.

VISTAS ÚTILES

No te dejes engañar por lo planos que son. ¡Así es más fácil localizar la entrada de cuevas y redes extensas de cavernas para explorar! Asegúrate de ir bien preparado antes de aventurarte bajo la superficie.

Las llanuras, uno de los biomas más frecuentes en el Mundo superior, resultarán familiares a la mayoría de los exploradores. Muchos instalan su base en ellas, pues las llanuras tienen pocos obstáculos y ofrecen buenas vistas de los alrededores. ¡Y están llenas de cosas por descubrir!

LLANURAS DE GIRASOLES

En todo el Mundo superior, solo encontrarás girasoles en esta variante rara de llanura. Estas flores vistosas de pétalos amarillos hacen que parezca verano incluso en plena tormenta.

SUPERCONSEJO

Los girasoles no solo añaden una pincelada de color, sino que también pueden ser el mejor amigo de un explorador. Si te pierdes y no llevas brújula, un truco para orientarte es que los girasoles siempre miran al este.

¡HOLA, CRIATURA!

ZOMBI

Encontrarás zombis en muchos biomas, pero en las llanuras son bastante frecuentes... de noche, claro. Oirás sus quejidos inquietantes antes de verlos, pero una vez que lleguen hasta ti, pueden hacerte mucho daño con ataques cuerpo a cuerpo, sobre todo en grupo.

TU BASE

Las llanuras son el lugar ideal para instalar una base. Suelen estar rodeadas de bosques de donde puedes obtener madera, y son el hogar de muchas criaturas pasivas que te proporcionarán alimento. Aunque ¡ojo con hincarle el diente a la carne podrida de un zombi!

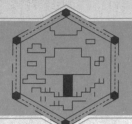

ESTRUCTURAS GENERADAS:
ALDEAS

EDIFICIOS

Organizadas alrededor de un punto central, las aldeas se componen de edificios que cumplen distintas funciones. En algunas casas pequeñas hay camas y cofres, mientras que en otras hay servicios, como carnicerías o armerías.

ALDEANOS

Encontrarás estas criaturas pasivas en aldeas o en sus inmediaciones. Tienen trabajos, interactúan entre ellos y hasta pueden comerciar contigo. Ni se te ocurra portarte mal con ellos: se acordarán de ti y harán correr la voz.

COMERCIO

El sistema de comercio te permite comprar y vender a los aldeanos, aunque solo con los que tengan profesiones. Necesitarás esmeraldas y otros objetos como moneda de cambio. Acércate a un aldeano e interactúa con él para ver su inventario y decidir si hay algo que necesites para tu aventura.

No hay nada como la primera vez que ves una aldea. Al explorar un territorio salvaje, aparece de repente un grupo de edificios. Entrégate a tu curiosidad, adéntrate en la aldea y descubrirás que es mucho más que un refugio para viajeros cansados...

BUENAS NOCHES

Pocos lugares son más seguros que una aldea. Puedes dormir en cualquier cama que no esté ocupada en ese momento, y en algunas casas hasta hay cofres con objetos útiles.

¡ASALTO!

Si entras en una aldea con efecto Mal presagio, causarás un asalto y varias oleadas de ataques. Si te quedas a defender la aldea, recibirás el efecto Héroe de la aldea, que te dará descuentos al comerciar con aldeanos.

¡HOLA, CRIATURA!

GÓLEM DE HIERRO

Estas criaturas grandullonas son gigantes que defienden a los aldeanos. Patrullan las aldeas y atacan a quien cause problemas lanzándolo por los aires a puñetazos. Puedes fabricar tu propio gólem con 4 bloques de hierro y una calabaza.

ALDEA ABANDONADA

También llamada aldea zombi, es un lugar muy inquietante. Muchas de sus estructuras están ruinosas y llenas de telarañas. Si te topas con una, mucho cuidado: por aquí vagan aldeanos zombis.

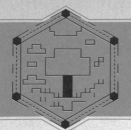

BIOMAS:
BOSQUES

BOSQUE DE FLORES

En los bosques de flores hay menos árboles que en los normales, y en su lugar hay pequeños claros llenos de flores. Es un espacio ideal si andas en busca de tinte, que puedes usar con fines decorativos para teñir objetos ¡y hasta ovejas!

BOSQUE

BOSQUE DE ABEDUL

Gracias al color claro del tronco de los abedules, estos bosques son más luminosos que los otros tipos. Aunque son parecidos, al ser árboles añejos llegan a ser más altos, de hasta 14 bloques de altura, con lo que podrás obtener más madera.

BOSQUE OSCURO

Este tipo de bosque es tan tupido que no deja pasar la luz del sol, y la oscuridad fomenta la generación de criaturas hostiles. Busca con atención champiñones rojos y robles oscuros entre las copas de los árboles; son difíciles de encontrar.

Los bosques, uno de los biomas en los que es más frecuente generarse, son muy parecidos entre sí y es fácil pasar de uno a otro sin darse cuenta. Si descubres sus sutiles diferencias, se te recompensará con el conocimiento de los recursos que ofrecen y los peligros que albergan.

RECURSOS

La abundancia de árboles hace de los bosques uno de los mejores biomas para recoger madera. Puede hasta que encuentres manzanas ocultas entre hojas de roble y otras delicias como abejas, flores y muchas criaturas pasivas escondidas entre los árboles.

PELIGROS

Si eres principiante, los bosques son un buen lugar para practicar, gracias a la ausencia de peligros ambientales. Pero no son del todo seguros: albergan criaturas dañinas ocultas a la sombra de los árboles.

¡HOLA, CRIATURA!

LOBO

Muy común en los bosques. Dale huesos para domesticarlo y te seguirá a todas partes. Puede hasta que críe. Es una criatura muy útil, puesto que te ayudará a defenderte de los esqueletos y sus variantes.

¡PERDIDO!

Es fácil perderse por el bosque. Si te despistas y la espesura de los árboles dificulta encontrar el camino, recuerda: el sol sale siempre por el este y se pone por el oeste. Si estás al aire libre al atardecer, más te vale buscarte un sitio para pasar la noche.

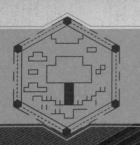

UBICACIÓN

A pesar de su gran tamaño, las mansiones de bosque son difíciles de encontrar. Incluso si divisas una a lo lejos, es posible que debas atravesar valles profundos y abrirte camino por espeso follaje para llegar hasta ella.

CRIATURAS

Solo los más valientes deberían entrar en una mansión de bosque. Están llenas de evocadores y vindicadores a quienes no les gustan las visitas. Sus pasillos laberínticos están poco iluminados y podría haber criaturas ocultas tras cualquier esquina...

EXTERIOR

Están construidas para camuflarse con el entorno con una estructura de madera oscura y adoquín. Tienen 3 pisos y sus tejados apenas asoman por encima de las copas de los árboles.

SUPERCONSEJO

No te alarmes si descubres una habitación llena de criaturas enormes como un maldeano o un pollo. ¡Son estatuas, no te harán ningún daño!

Solo los más audaces serán capaces de encontrar una mansión de bosque. Suelen generarse a miles de bloques de tu punto de regeneración, lo que las hace difíciles de localizar. Están en bosques oscuros, donde la supervivencia se complica a medida que te adentras en ellos.

CONSEJOS PARA EXPLORADORES

HUERTO INTERIOR

Cada mansión es diferente, pero todas contienen huertos interiores. Desde trigo a champiñones, podrás encontrar en ellos alimentos para cocinar.

CAUTIVOS

Mira a ver si hay celdas. Nadie conoce la historia de estas estancias atroces, pero alojan vindicadores o ayudantes. Si encuentras a uno, dale un objeto para que te siga.

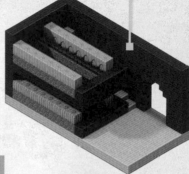

ALMACÉN

¿Habitaciones llenas de cofres? Una justa recompensa por llegar hasta una mansión de bosque. Pero ¡cuidado!: Un vindicador las protege.

¡HOLA, CRIATURA!

EVOCADOR

Son criaturas hostiles que lanzan hechizos, pero más vale que no los veas de cerca. Evocan vexes, que te pueden dañar, y lanzan un ataque de colmillos que hace que salgan colmillos del suelo y dañen a todo el que se encuentra en su camino.

ESTANCIA SECRETA

A menudo, las mansiones de bosque poseen una. Si das con ella, podrías ser testigo de un portal falso al End, una habitación de obsidiana o algo igual de misterioso.

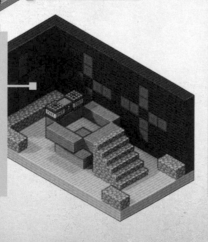

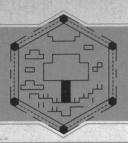

BIOMAS:
JUNGLAS

Las junglas deleitarán a los exploradores valerosos. Su abundancia de árboles altos y gruesos significa que es fácil perderse y hasta quedar atrapado en ellas al huir de criaturas hostiles.

JUNGLAS

Imposible confundirlas. Sus árboles son los más altos del Mundo superior, y el terreno irregular las convierte en un laberinto del que es difícil salir.

JUNGLA DISPERSA

De árboles más bajos, es un lugar mucho más adecuado para tu base, con espacios abiertos y sitio para una granja.

¡HOLA, CRIATURA!

LORO

Una criatura rara de talentos ocultos que solo se encuentra en la jungla. Es capaz de imitar los sonidos de criaturas hostiles a 20 bloques a la redonda, ¡y hasta puede posarse en tu hombro!

JUNGLA DE BAMBÚ

Es posible que te cruces con pandas atiborrándose de bambú. Es más húmeda que otras junglas, por lo que hay más probabilidad de encontrar cuevas exuberantes.

AMIGUITOS

La jungla no es mal sitio para hacer amigos: pandas, loros y ocelotes se generan casi exclusivamente en este bioma. Puedes llevar un ocelote domesticado de una correa; ahuyentará a los creepers.

ESTRUCTURAS GENERADAS:
TEMPLO DE LA JUNGLA

Gracias al espeso follaje que los rodea, los templos de la jungla son dificilísimos de encontrar. Sus paredes de adoquín musgoso se camuflan con el entorno, y su interior alberga un gran misterio...

TRAMPAS

Incluso tras liquidar a las criaturas hostiles que merodean por sus corredores, son lugares peligrosos. Cuidado con los cables trampa que activan disparadores de flechas.

RESUELVE MISTERIOS

Un rompecabezas complica aún más el misterio del templo. Hay 3 palancas en la pared que parecen activar algún mecanismo. Resuelve el rompecabezas y lograrás acceder a una estancia secreta.

RECOGE

No te marches sin recoger todos los recursos que puedas. El cofre trampa contiene redstone que podrás aprovechar.

33

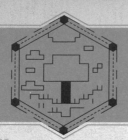

BIOMAS:
CEREZAL

No te encontrarás a menudo con un bioma tan poco común como este, pero te resultará inolvidable. Se llama así por sus árboles, que dan una nota de color y llenan el suelo herbáceo de pétalos caídos.

CEREZO

Lo que más llama la atención del cerezal son las hojas rosa pálido de sus cerezos, que solo crecen aquí. Sin embargo, puedes recoger retoños de cerezo para disfrutar de su belleza en cualquier lugar.

¡HOLA, CRIATURA!

ABEJAS

Estas adorables criaturas neutrales viven en nidos y revolotean durante el día en busca de flores que polinizar para hacer miel. No las hagas enfadar, ¡el enjambre entero se te echará encima!

MADERA

Puedes talar madera de cerezo y llevártela de recuerdo de tus viajes. Su apariencia única la hace ideal para construcciones y accesorios originales, como un espectacular letrero colgante rosa.

BIOMAS:
PANTANOS

Entre robles, parras y matorrales muertos, este bioma está ocupado en su mayor parte de aguas pantanosas. Estate atento al croar de las ranas, ¡podrás presenciar el majestuoso salto de este habitante del pantano!

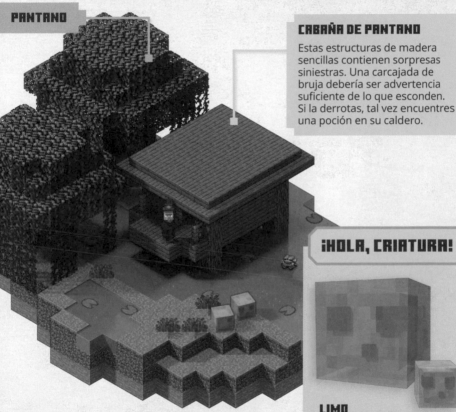

PANTANO

CABAÑA DE PANTANO

Estas estructuras de madera sencillas contienen sorpresas siniestras. Una carcajada de bruja debería ser advertencia suficiente de lo que esconden. Si la derrotas, tal vez encuentres una poción en su caldero.

¡HOLA, CRIATURA!

LIMO

Se genera con más frecuencia durante la luna llena, ¡atento al sonido de sus brincos! Si crees haber derrotado a uno, cuidado: ¡se divide en versiones más pequeñas al recibir daño!

SUPERCONSEJO

Al explorar biomas cálidos, puede que te topes con un pantano de manglar. No pierdas el tiempo buscando ahí cabañas de pantano, pues solo se generan en pantanos comunes.

PAISAJES CÁLIDOS

Aunque hay biomas cálidos escasos en recursos en los que
es difícil sobrevivir, vale la pena ir a explorarlos; eso sí, bien
equipado. A pesar de las dificultades de su superficie seca
y yerma, son biomas de belleza inigualable que ocultan mucha
riqueza por descubrir.

BIOMAS:
DESIERTOS

EL HORIZONTE

Gracias a su superficie arenosa y llana, las vistas en el desierto son siempre buenas. A veces, te parecerá estar rodeado de la nada, pero tendrás una oportunidad inigualable de detectar a criaturas hostiles antes de que te vean a ti.

ESTRUCTURAS

Con sus fachadas de arenisca, las estructuras que se generan en los desiertos se camuflan con su entorno. No se dan con frecuencia, pero podrías descubrir puestos de saqueadores, aldeas y templos del desierto.

38

Podría parecer que no hay gran cosa en este bioma, pero bajo su superficie hay mucho por explorar. Desde bloques de arena sospechosa hasta una estructura llena de misterios, pasando por una criatura que no se encuentra en ningún otro lugar... ¡Vamos a explorar el desierto!

SUPERVIVENCIA

El terreno abierto te ayuda a divisar amenazas, pero también puede ser peligroso. Aquí hay muy pocos recursos, lo que dificulta la supervivencia. Si planeas un viaje al desierto, llena el inventario de madera y alimentos.

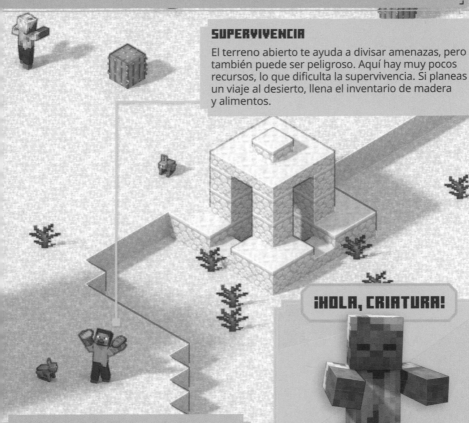

¡HOLA, CRIATURA!

RELIQUIAS OCULTAS

Para quienes sueñan con escarbar bajo la superficie, el desierto te permite convertirte en arqueólogo. Si encuentras arena o grava sospechosa, agarra un pincel; podrías descubrir distintos tipos de alfarería.

PUSILÁNIME

Es muy probable que te topes con ellos cerca de los templos. Es una variante de zombi que solo se genera aquí y te detectará desde 40 bloques de distancia, ¡así que ándate con cuidado! Su ataque puede causarte efecto Hambre.

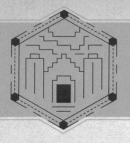

ESTRUCTURAS GENERADAS:
TEMPLO DEL DESIERT[O]

CASTILLOS DE ARENA

Si exploras el desierto de noche, podrías pasar por alto un templo cuyas torres de arenisca se camuflan con el entorno. Fíjate en los detalles de terracota naranja de su fachada.

TERRACOTA NARANJA

¡HOLA, CRIATURA!

ARAÑA

Es la única criatura capaz de subirse por las paredes, lo que la hace temible. Ataca de un salto y puede morderte cuando está en el aire. Solo se vuelve hostil en la oscuridad.

¡ÁNDATE CON CUIDADO!

Ojo al entrar: las criaturas hostiles se refugian del calor en su interior.

SUPERCONSEJO

No pierdas el tiempo excavando bloques de arena sospechosa porque se romperán. Usa un pincel para extraer los objetos que contienen.

Cuanto más tiempo explores biomas desérticos, más posibilidades tendrás de encontrar un templo del desierto. Estas estructuras pueden parecer un buen lugar para protegerse del sol, pero los riesgos de aventurarse en su interior pueden ser explosivos...

CARACREEPER

Los exploradores atentos se darán cuenta de que algunos de los bloques de arenisca tienen caras de creeper grabadas en los lados. ¡No te asustes! Son bloques cincelados que tú también puedes hacer.

ARENISCA CINCELADA

¡BUM!

En el centro de la cámara principal del templo verás un dibujo de terracota en el suelo. Si excavas ahí, se te recompensará con una sala en la que hay 4 cofres. Ojo con pisar la placa de presión del centro: está conectada a un recuadro de 3×3 bloques de TNT.

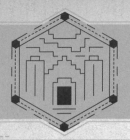

BIOMAS:
SABANAS

Hay 3 tipos de biomas de la sabana. Suelen encontrarse junto a desiertos y, aunque tienen cosas en común, su aspecto es distinto. ¡Hay muchos motivos para explorarlos todos!

SABANA

VENTISCOSA

MESETA

Si se genera junto a un terreno elevado, como montañas o colinas, puede ser la variante Meseta. Es idéntica a la normal, pero con un plano inclinado que llega a su punto más alto al conectar con biomas de más altura.

¡HOLA, CRIATURA!

LLAMA

Esta criatura es una de las mejores maneras de transportar objetos, pero incluso una llama domada rechazará ser montada. La mejor forma de guiarla es con una rienda. Son pasivas, pero escupirán a cualquiera que les cause daño y a cualquier lobo que se les acerque demasiado.

SABANA

Es un bioma principalmente plano cubierto de hierba alta y algunas acacias y robles. Es el único bioma en el que se generan caballos y llamas. Un caballo te permite explorar con rapidez, y una llama, llevar a tu base los objetos que recojas.

BIOMAS:
PÁRAMOS

El páramo es un grupo poco frecuente de biomas cuyo color característico viene de la arena roja y de la terracota. Son distintos entre sí y, sin embargo, su relación es evidente. ¡Incluso contienen oro!

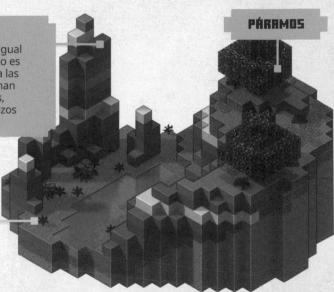

PÁRAMOS

PÁRAMOS EROSIONADOS

Están cubiertos de arena roja igual que los demás, pero su aspecto es radicalmente distinto gracias a las agujas de terracota que dominan el paisaje. Mira siempre detrás, ¡podrían ocultar entradas a Pozos de minas!

PÁRAMOS FRONDOSOS

En esta variante hay bosques de robles, de gran ayuda para quien quiera sobrevivir o recoger determinados recursos. Pero hay pocas fuentes de alimento.

VIL METAL

Los páramos son un buen lugar para encontrar oro, que se da en este bioma más que en cualquier otro. También se generan muchas minas, ¡algunas las verás a simple vista!

ENTORNO HOSTIL

Aquí no se generan criaturas pasivas y no hay mucha vegetación, con lo que cuesta encontrar comida y tendrás que traerla de casa. ¡Pero no creas que eso significa que aquí no se generan criaturas hostiles!

PAISAJES FRÍOS

Desde el nivel del mar hasta las cimas de las montañas nevadas,
los paisajes fríos ofrecen los parajes más originales
y peligrosos de explorar en Minecraft. En este capítulo,
estudiaremos los paisajes, estructuras y criaturas que puedes
encontrar en los biomas más fríos del Mundo superior.

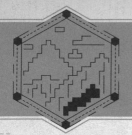

BIOMAS:
COLINAS VENTISCOSA

Si al andar entre colinas percibes una bajada de temperatura, puede que te encuentres en la rara y fría familia de biomas llamados las colinas ventiscosas. Abrígate bien y mira por dónde pisas.

BOSQUE VENTISCOSO

En este bioma poco común se dan bosques de roble y abeto que ofrecen un buen suministro de madera. Se encuentran al borde de colinas altas que lindan con biomas más llanos, lo que aumenta el riesgo de daño por caída.

COLINAS PEDREGOSAS VENTISCOSAS

Están cubiertas de grava en su mayor parte, con lo que en ellas no crecen hierba ni árboles. Este bioma presenta un riesgo de asfixia si al excavar causas un alud de grava que te sepulta.

COLINAS VENTISCOSAS

Su terreno herbáceo y pedregoso hace que puedas pasar por ellas sin darte cuenta. Hay pocos árboles y la temperatura desciende a medida que subes, así que tal vez encuentres nieve y agua helada.

VACA, OVEJA, CERDO Y POLLO

Estas 4 criaturas clásicas se encuentran por casi todo el Mundo superior. Puedes convertirlas en alimento. También te proporcionarán cuero, plumas y lana.

PUESTO DE SAQUEADORES

La primera vez que te acerques a uno, no te asustes al divisar sus torres de roble oscuro. Con su aire misterioso, solo los exploradores más valientes se atreverán a entrar... ¿Qué encontrarán en su interior?

BOTÍN

Para llegar arriba, tendrás que luchar. Tu recompensa será un cofre que tiene un 50 % de posibilidades de contener una ballesta, entre otros tesoros.

¡PILLADO!

Estos puestos se encuentran en muchos biomas, y suelen situarse cerca de aldeas. Gracias a su torre de vigilancia, es probable que los saqueadores te vean llegar mucho antes de que consigas entrar.

¡HOLA, CRIATURA!

SAQUEADORES

A esta criatura hostil la encontrarás en puestos de avanzada y patrullando el Mundo superior. Tienen buena puntería y atacan a aldeanos adultos... y a ti.

MAL PRESAGIO

Si derrotas al capitán de los saqueadores, recibirás el efecto de estatus de Mal presagio, que desencadenará una oleada de asaltos de saqueadores en la aldea en que entres.

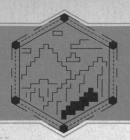

BIOMAS:
TAIGA

Son ideales para exploradores de biomas fríos novatos. Podrás recoger madera de sus bosques de helechos y abetos. Las taigas nevadas son parecidas, pero cubiertas de una capa de nieve. ¡Y en ellas podrías encontrar un iglú!

TAIGA ANCESTRAL

La edad avanzada de los abetos y pinos en esta taiga significa que han crecido muchísimo y, gracias a los altos niveles de humedad de este bioma, es probable que encuentres una cueva frondosa (ve a la pág. 71) subterránea. No olvides tus herramientas mineras y de supervivencia antes de adentrarte bajo tierra.

TAIGA NEVADA

TAIGA

¡HOLA, CRIATURA!

ZORROS

Esta criatura huidiza se encuentra a menudo tumbada tranquilamente al sol. También la verás saltar sobre sus presas... menos tranquilamente.

ESTRUCTURAS GENERADAS:
IGLÚ

Se encuentran en biomas nevados y están hechos de bloques de nieve, lo que los hace difíciles de ver. Por fuera parecen pequeños y sencillos, pero su interior es un refugio interesante para viajeros.

ESTRUCTURA

Al entrar en un iglú, te refugiarás de inmediato del gélido clima. Una estancia con una cama, un horno o una mesa de trabajo está la mar de bien, pero lo más interesante está oculto...

TRAMPILLA

Más o menos la mitad de los iglús tienen una trampilla oculta bajo un bloque de alfombra. Un túnel conduce hasta una cámara subterránea en la que hay un soporte para pociones, un caldero, un cofre... y celdas misteriosas.

¿PRISIONEROS?

En las celdas hay 2 vecinos peculiares: en una, un aldeano espera que lo liberes. En la otra, un aldeano zombi. ¿Lo curarás con una manzana de oro?

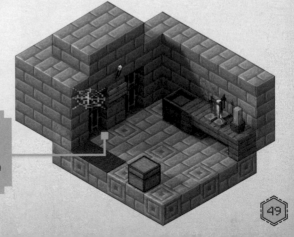

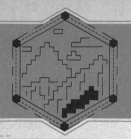

BIOMAS:
LLANURAS NEVADA.

Estas llanuras cubiertas de nieve y altas formaciones de hielo son un paisaje de ensueño. Sobrevivir en ellas es difícil, por la ausencia de criaturas y por la nieve, que puede causar daño por congelación.

ESTRUCTURAS

Aunque no son frecuentes, los exploradores podrán encontrar edificios hechos de madera para refugiarse de las inclemencias del clima.

COLORES NATURALES

Aunque gran parte de las llanuras están cubiertas de nieve, la hierba que asoma suele ser de un verde vivo. Aquí el hielo es abundante, y los ríos y lagos se congelan, a menos que tengan cerca un lago de lava.

SUPERVIVENCIA

Costará creerlo al verlas, pero las llanuras nevadas son praderas. Su clima hace que los árboles escaseen, con lo que parece un bioma yermo; tampoco ayuda las pocas criaturas que se generan aquí.

¡HOLA, CRIATURA!

OSO POLAR

No es común, pero esta criatura se encuentra en biomas helados. No te acerques, ¡o se alzará sobre sus patas traseras y te destrozará con sus garras!

BIOMAS:
AGUJAS DE HIELO

En el Mundo superior hay lugares que hay que ver para creer, y este es uno de ellos. Es una estampa increíble, cubierta de grupos de agujas que no parecen de este mundo.

GRANDES Y PEQUEÑAS

Las pequeñas son más frecuentes y su apariencia es más baja y robusta, aunque pueden llegar a los 15 bloques de altura. Las altas son más finas y pueden alcanzar más de 50 bloques de altura.

DESCÚBRELAS

Como solo se dan en su bioma característico, tal vez creas que las agujas son difíciles de encontrar. Pero, gracias a la ausencia de árboles, las divisarás enseguida en el horizonte.

SUPERCONSEJO

Es poco probable que aquí se generen criaturas, pero puede haber errantes. Disparan flechas de lentitud que te harán ir más despacio.

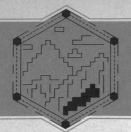

Al acercarte a terreno montañoso, puede que tengas serios problemas para andar y ascender. Es importante que vayas bien equipado; aquí puedes pasarte días ocupado.

ARBOLEDA

Si las laderas tienen bosques frondosos de abetos, tal vez estés en un Bioma arboleda. La nieve puede acumularse y darle un aspecto impredecible.

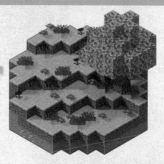

PRADO

Se encuentran en cotas inferiores y son el único bioma montañoso en el que se generan aldeas, lo que lo convierte en la base perfecta de una expedición.

¡HOLA, CRIATURA!

LADERAS NEVADAS

Son un lugar desolado. En sus pendientes encontrarás nieve y alguna cabra gritona que quiera embestirte.

CONEJO

Es difícil de ver. Si consigues atrapar a uno, conseguirás carne cruda para un rico estofado, y una pata de conejo para la Poción de salto.

BIOMAS:
PICOS

En lo alto de las montañas, donde el aire gélido es tan peligroso como una caída, encontrarás 3 Biomas de picos. No se encuentran en ningún otro lugar y ofrecen algunos de los paisajes más dramáticos del Mundo superior.

PICOS HELADOS

Solo los exploradores más valientes y mejor preparados se adentran en ellos. Sus colinas pueden ser más suaves, pero ¡cuidado con sus glaciares traicioneros llenos de hielo!

PICOS DE PIEDRA

En una montaña cercana a sabanas y junglas se generarán picos de piedra, con colinas llenas de minerales a la vista para animar a los escaladores más valientes.

PICOS DENTADOS

Estos picos altos e irregulares llegan más alto que las nubes. Están cubiertos de una capa de nieve bajo la cual puedes encontrar minerales. Camina con cuidado para no caerte.

PAISAJES ACUÁTICOS

La mayor parte de la superficie del Mundo superior está cubierta de agua, así que no es difícil encontrar un Bioma acuático. Son lugares enigmáticos, a la vez que se cuentan entre los biomas en los que la supervivencia es más difícil. Vamos a zambullirnos para descubrir un mundo de misterio.

RÍOS

PELIGRO PARA EXPLORADORES

Hay mucho que explorar bajo la superficie. Verás recursos desde la orilla y las entradas a cuevas que podrían llevarte a grandes riquezas, pero solo puedes contener la respiración bajo el agua un tiempo limitado, ¡ten cuidado!

¿LO SABÍAS?

Un barco puede cargar contigo y un cofre; ideal para desplazarte por el agua. Pero ¡ten cuidado con los ríos circulares!

Encontrarás ríos por toda la superficie del Mundo superior. A veces, su ubicación es una frontera natural entre biomas, y muy a menudo desembocan en el océano. A pesar de la apariencia apacible, bajo la superficie puede haber criaturas hostiles y mucho más por descubrir.

PROFUNDIDAD

Muchos ríos son similares en profundidad y, por lo general, podrás ver el lecho. En zonas montañosas, su profundidad puede llegar a niveles oceánicos, lo que los hace más difíciles de inspeccionar.

¡HOLA, CRIATURA!

RECURSOS

Los ríos contienen objetos y recursos muy útiles. Crudos o cocinados, los peces aumentarán tu barra de hambre. Además, en aguas poco profundas, encontrarás pedernal entre la gravilla, además de bloques de arcilla.

AHOGADOS

Si has explorado bajo el agua, es probable que hayas visto a esta variante zombi. Atacan cuerpo a cuerpo, como los zombis, pero ¡cuidado! Algunos se generan con una de las armas más potentes del Mundo superior: un tridente.

BIOMAS:
CAMPOS DE CHAMPIÑONE

HABITANTES

Es el único lugar del Mundo superior en el que encontrarás champiñacas. Aquí no se generan criaturas hostiles, así que es un sitio seguro para pasar la noche, siempre que vayas equipado y lleves una cama para dormir sin que te acechen los fantasmas.

ISLAS AISLADAS

Estas islas tan peculiares suelen darse en variantes de océano profundo, lejos de grandes masas de tierra. Si encuentras una, sin embargo, es posible que haya otras cerca.

SUPERFICIE ÚNICA

Los campos de champiñones suelen ser pequeños, pero destacan por el gran tamaño de las setas y por su superficie de micelio, un bloque de tierra rara cuya superficie suelta esporas.

Llega un momento en la vida de todo lobo de mar en el que, al acercarse a una isla, se da cuenta de que no tiene ni idea de lo que ha descubierto. Es el caso de los campos de champiñones, cuyas enormes setas añaden una inesperada nota de color a este bioma.

¡HOLA, CRIATURA!

CHAMPIÑACA

Las champiñacas tienen aspecto de vaca, pero son rojas y están cubiertas de champiñones. Puedes hacerlas criar, ordeñarlas y hasta esquilar sus champiñones, aunque eso las convertirá en vacas normales.

OCÉANOS Y PLAYAS

AZUL PROFUNDO

Todos los océanos, excepto los cálidos, tienen una variante que es el doble de profunda y que puede albergar monumentos oceánicos dignos de explorar. Pero ¡cuidado con los guardianes y los guardianes ancianos!

OCÉANOS TIBIOS

En las costas de junglas y sabanas, los océanos tibios y sus variantes profundas tienen lechos arenosos y agua azul claro en la superficie. En este bioma encontrarás peces tropicales.

OCÉANOS

Su superficie puede cubrir miles de bloques y ocultar el terreno irregular del fondo, lleno de picos y valles. El pasto marino y las algas le dan aspecto de bosque.

La superficie de los océanos, mayor que la de cualquier otro terreno, puede parecer vacía, pero debajo te espera un rico mundo subacuático. Desde trincheras hasta naufragios, hay mucho por ver y muchos peligros a los que enfrentarse.

OCÉANOS CÁLIDOS

Bordean desiertos y páramos. Los reconocerás por su superficie turquesa y la variedad de tonos de los corales, que solo encontrarás aquí.

OCÉANOS HELADOS

Bajo su superficie, los océanos helados tienen un lecho pedregoso, vacío y yermo. Aunque su superficie está cubierta de hielo, tal vez puedas presenciar una de las maravillas de la naturaleza: un gran iceberg con un oso polar encima.

¡HOLA, CRIATURA!

DELFÍN

Esta criatura neutral te concederá rapidez adicional si esprintas al nadar junto a ella. Tiene extraordinarias habilidades de salto, y si le das bacalao o salmón crudo, nadará hasta el naufragio, tesoro enterrado o monumento oceánico más cercano. ¡Que no se te escape!

OCÉANOS FRÍOS

El azul más oscuro de su superficie indica que este bioma es muy distinto a las variantes más cálidas. Aquí hay menos pastos marinos, pero encontrarás las mismas criaturas nadando... o esperándote.

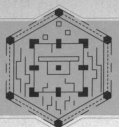

ESTRUCTURAS GENERADAS:
NAUFRAGIO

PELIGROS

En cualquier viaje submarino, hay que tener en cuenta ciertos peligros. Intenta que no te pille un ahogado con un tridente y no pierdas de vista tu barra de oxígeno. ¡Y no te quedes atrapado en un naufragio!

HERRAMIENTA ESENCIAL

Fabricar una concha de tortuga puede ser de gran ayuda para explorar estructuras subacuáticas. Te dará 2 puntos de armadura y 10 segundos adicionales de respiración acuática cada vez que te zambullas.

Receta de concha de tortuga

Uno de los descubrimientos más emocionantes para cualquier explorador es un naufragio. Puedes encontrar esta estructura rara en todos los biomas oceánicos, tanto dentro como cerca del agua. A veces, con el mástil asomando, de lado o incluso del revés. ¡Al abordaje!

ESTRUCTURA

Los naufragios se generan de diferentes maneras y con distintos niveles de daño. Algunos están intactos, otros en posición lateral con daños, y otros boca abajo, por lo que pueden ser difíciles de reconocer.

DESCUBRIMIENTO

Los naufragios son estructuras poco frecuentes y difíciles de encontrar. Un delfín puede ayudarte a localizarlos, pero la emoción de dar con uno por ti mismo es inigualable. Los encontrarás en la superficie, en playas o playas nevadas, incluso en icebergs o barrancos; así que, si tienes suerte, te toparás con uno en tus aventuras.

TESOROS

Todo naufragio que se precie estará lleno de tesoros. Encontrarás hasta 3 cofres en su interior: uno en la proa y el resto en los 2 pisos de la popa. Si hay al menos 2 cofres, ¡uno contendrá un mapa del tesoro!

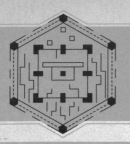

ESTRUCTURAS GENERADAS:
RUINAS OCEÁNICAS

Las ruinas oceánicas son un conjunto de estructuras de muchas formas y tamaños, ya sea un solo edificio o los restos de una aldea grande. ¡Pero siempre hay motivos para explorar tras sus muros!

COMPOSICIÓN

Según el clima, las ruinas estarán construidas de distintos materiales. En biomas fríos, serán de ladrillos de piedra, mientras que en los más cálidos pueden ser de arenisca, lo que las ayuda a camuflarse con su entorno.

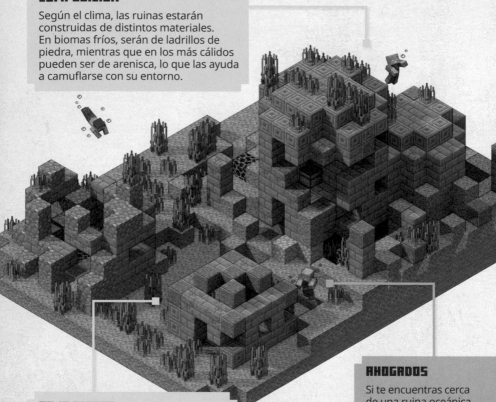

AHOGADOS

Si te encuentras cerca de una ruina oceánica, es probable que haya ahogados en las inmediaciones, puesto que muchos se generan cerca de estas estructuras. Si estás distraído explorando, puede que te pillen por sorpresa.

BAJO TIERRA

Las ruinas oceánicas no parecen gran cosa, pero no las pases por alto: muchas contienen cofres ocultos. Mucho ojo con la arena de aspecto raro: podría contener huevos de una criatura ancestral, ¡el rastreador!

ESTRUCTURAS GENERADAS:
MONUMENTO OCEÁNICO

Si exploras bajo las aguas de una variante de océano profundo, tal vez te encuentres con un monumento oceánico, una estructura enorme llena de cámaras que contienen varias amenazas y algunas recompensas.

UBICACIÓN

A causa de su tamaño, los monumentos oceánicos no son difíciles de divisar para cualquier explorador que pase un tiempo bajo el mar. Puedes acelerar la búsqueda con un mapa de explorador que conseguirás de un aldeano cartógrafo. Para más información sobre mapas, vuelve a las págs. 20-21.

PELIGROS

Es fácil quedar atrapado y desorientarse en un monumento oceánico, y sería una imprudencia adentrarse en él sin Respiración acuática. Esta estructura está vigilada por los formidables guardianes y guardianes ancianos.

¡HOLA, CRIATURA!

PRISMARINA

Los monumentos oceánicos tienen una estructura de prismarina que les da un aspecto peculiar. Si sobrevives a sus cámaras laberínticas, descubrirás una sala del tesoro con 8 bloques de oro y una curiosa sala de esponjas.

GUARDIÁN Y GUARDIÁN ANCIANO

Estas criaturas hostiles atacan con rayos láser y, si las tocas, se defenderán con sus pinchos. El guardián anciano, de color gris, es la criatura acuática más grande y fuerte. Tendrás que enfrentarte a 3 en cada monumento oceánico.

PAISAJES SUBTERRÁNEOS

Bajo la superficie del Mundo superior hay otro mundo
que espera ser explorado. Pero debes andarte con cuidado.
Sus inmensas redes de cavernas llenas de imágenes
espectaculares y repletas de criaturas hostiles pondrán
a prueba todas tus habilidades de supervivencia.

BAJO TIERRA

PARA EMPEZAR

El mundo subterráneo es un lugar peligroso. Para prepararte, debes almacenar todos tus objetos de valor en la superficie y hacer acopio de lo más básico.

BLOQUES DE REPUESTO

Te servirán para descender, cruzar valles profundos y construir murallas. Intenta llevar encima al menos una pila entera de tierra o adoquín.

DEJA HUELLA

Intenta recordar tus coordenadas. Si te derrotan sin dormir en una cama, puede costarte encontrar el lugar. Para activar las coordenadas, ve a «Opciones de Mundo» en el menú principal.

La minería es esencial para recoger recursos valiosos y objetos raros que pueden transformar tu experiencia en la superficie. Aunque no lo tengas planeado, las aventuras subterráneas pueden llevarte días a medida que descubres cuevas, galerías e increíbles estructuras.

¡ATENCIÓN!

Sube el volumen. Bajo tierra oirás a criaturas cercanas, o el goteo de agua o de lava, que te puede ayudar a esquivar peligros y a detectar tesoros ocultos.

COMO UN LIRÓN

Cuanto más te adentres en las profundidades, mayores son las probabilidades de perderte y encontrar una muerte temprana. Coloca una cama para dormir, así te regenerarás más cerca. ¡Pero recuerda irte a dormir a otro sitio al volver a la superficie!

Con un pico de hierro romperás los minerales más valiosos, como el oro y el diamante.

Necesitarás antorchas para iluminar cuevas y encontrar el camino de vuelta.

Usa una espada de piedra para la defensa cuerpo a cuerpo. Es fácil de fabricar cuando los recursos escasean.

Deberás reemplazar tus armas y alimentar el horno. Los tablones de madera valen para todo.

Inventario

Crea una cascada con un cubo de agua para bajar a las profundidades de forma segura... y volver a subir.

Deja espacios vacíos para llevarte los recursos de valor que encuentres.

Las cuevas están llenas de esqueletos. Defiéndete con un arco.

En las cuevas no hay alimentos. Tendrás que llevar provisiones.

CUEVAS

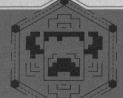

DÓNDE

Hay muchas formas de dar con una cueva. A veces verás la entrada en la superficie invitándote a explorar, pero también es fácil toparse con una cueva al excavar o incluso bajo el agua.

ÉPICA SUBTERRÁNEA

Hay cuevas de muchas formas y tamaños. Algunas son apenas pequeñas cavernas, mientras que otras conducen a profundas redes de cuevas interconectadas.

¡HOLA, CRIATURA!

CREEPER

Es probable que esta criatura hostil ya te sea conocida. Su color verde hace que destaque, pero a menudo te pillará desprevenido por su caminar sigiloso. Si se te acerca lo suficiente, emitirá un breve siseo antes de explotar y hacerte mucho daño.

RIESGOS Y RECOMPENSAS

Las cuevas subterráneas recompensan a los exploradores pacientes. Los minerales valiosos como el oro o el diamante son fáciles de ver en sus paredes. Estate alerta: la escasa luz fomenta la generación de criaturas.

Las cuevas pueden tener ocupados a los exploradores durante horas, o incluso días. Y aunque no veas ninguna entrada cerca, las aventuras subterráneas nunca andan lejos. Basta con excavar un poco para regresar a la superficie con un inventario lleno de riquezas.

CUEVAS

Hay distintos tipos, pero la más común es también la más reconocible. Algunas tienen grandes espacios fáciles de explorar, mientras que otras están llenas de pasillos donde tendrás que andarte con mucho cuidado para evitar ataques o quedar atrapado.

CUEVAS EXUBERANTES

En un Bioma húmedo podrás acceder a cuevas frondosas. A menudo se encuentran bajo las azaleas. Están cubiertas de musgo, alfombras de musgo, matas de azalea y enredaderas de bayas resplandecientes. ¡Tal vez hasta des con ajolotes!

A OSCURAS

En lo más profundo del subsuelo, sin apenas fuentes de luz, las cuevas están cubiertas de bloques de sculk rodeados de vetas de sculk. Si activas un sensor sculk más de 5 veces, aparecerá un Aullador de sculk y podrías toparte con el guardián. Es el único bioma en el que se encuentran ciudades antiguas.

CUEVAS DE ESPELEOTEMAS

A menudo se sitúan lejos de la costa. Sus grandes estalactitas y estalagmitas de espeleotema las hacen difíciles de cruzar, y te harán daño si caes sobre ellas. Aquí encontrarás grandes cantidades de mineral de cobre y geodas de amatista. ¡Llévate todo lo que puedas!

ESTRUCTURAS GENERADAS: POZO DE MINA

GRANDES COMPLEJOS

Los pozos de mina difieren de tamaño y forman grandes complejos subterráneos cuando se generan juntos. Es difícil orientarse por ellos: lleva un montón de antorchas para usarlas como indicadores.

GALERÍAS

Cuando una mina se genera cerca de una cueva profunda, tal vez encuentres pasarelas de madera que cruzan cañones muy profundos. Te ayudarán a salvar terrenos peligrosos y a orientarte..., ¡pero también servirán a las criaturas hostiles que te persigan!

¡HOLA, CRIATURA!

ESQUELETOS

Una criatura hostil común en el Mundo superior. Es especialmente hábil con el arco en las estrechas pasarelas de las minas, ¡no olvides tu escudo!

COFRES CON BOTÍN

En tu exploración de la red de pasadizos, puede que descubras vagonetas cargadas con cofres que contienen botines abandonados, como manzanas de oro encantadas, raíles, diamantes y alimentos.

Los pozos de mina, estructuras laberínticas llenas de túneles interconectados, se encuentran sobre todo en cuevas subterráneas. Ocultan muchas vías de raíles inacabados y plataformas de tablones de roble, con lo que su aspecto las hace inconfundibles bajo tierra.

CRIATURAS

Los pasadizos de una mina son el hogar ideal para las criaturas hostiles, así que procura que no te pillen por sorpresa. La preparación es clave: espada, arco y escudo son objetos esenciales.

GALERÍAS ABANDONADAS

Si tienes tijeras, úsalas para cortar las gruesas telarañas que las bloquean, pero cuidado: a menudo alojan generadores de arañas de las cuevas. Rómpelos con un pico para detener el torrente de arañas.

EN LOS PÁRAMOS

En este bioma, puedes encontrar pozos de mina en la superficie. Si divisas los tonos oscuros de sus tablones de roble, no dudes en explorar; los páramos son un lugar excelente para encontrar mineral de oro.

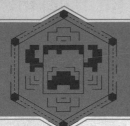

ESTRUCTURAS GENERADAS:
FORTALEZA

Es una de las estructuras más buscadas del Mundo superior, y no es para menos: sus muros esconden un laberinto de pasadizos y secretos, además de un portal para llegar a la dimensión del End.

CÓMO ENCONTRARLAS

A causa de su ubicación subterránea, no es fácil dar con ellas. Puede que descubras una por casualidad... o puedes servirte de un Ojo de Ender. Lánzalo y se desplazará unos 12 bloques en la dirección de la fortaleza más cercana.

ESTANCIAS

Algunas paredes están decoradas con barras de hierro, puedes encontrar cofres en los corredores y una sala con una fuente. La poca iluminación significa que hay criaturas hostiles.

BIBLIOTECA

En muchas fortalezas hay bibliotecas. Pueden ser de 2 tamaños: una sala de un solo nivel o una más grande de 2 pisos, pero en ambas encontrarás estanterías, tablones de roble y algún cofre.

PORTAL DE END

Solo encontrarás portales de End en las fortalezas. Descubrir uno es el sueño de todo explorador, pero ¡cuidado! Cada sala del portal contiene un generador de peces plateados.

STRUCTURAS GENERADAS:
CIUDAD ANTIGUA

En el Bioma oscuridad profunda, es posible encontrar una extensa estructura conocida como ciudad antigua. Te será difícil estudiar sus detalles a oscuras, pero si exploras con cuidado, descubrirás secretos ancestrales.

ESTATUAS

Encontrarás una cantidad sorprendente de estatuas sumidas en la oscuridad eterna. En el centro, una gran estatua en forma de cabeza de guardián vigila los corredores.

TESOROS ÚNICOS

En la ciudad antigua puedes encontrar elementos únicos. Su estructura es de pizarra abismal reforzada, un bloque que tus herramientas no pueden romper, aunque sí podrás llevarte linternas de almas y fragmentos resonantes.

VIBRACIONES

Algunas pasarelas están alfombradas para reducir las vibraciones que te delatarían ante el guardián. Avanza despacio para no despertarlo.

REDSTONE EN EL SÓTANO

Bajo la base de la estructura central encontrarás una puerta que funciona con un pistón. Tras ella, se ocultan salas subterráneas con circuitos de redstone y otras recompensas.

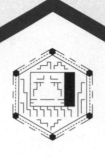

EL INFRAMUNDO

Aunque en el Mundo superior no te faltarán lugares para explorar, los más intrépidos tal vez quieran aventurarse en el Inframundo, una dimensión llena de lava no apta para cobardicas que alberga todo un mundo de amenazas y criaturas hostiles.

VIAJE AL INFRAMUNDO

Para llegar a esta dimensión, tendrás que crear un Portal del Inframundo. Con bloques de obsidiana, podrás fabricar esta estructura luminosa y acceder a un mundo distinto a todo lo que conoces.

¡PREPÁRATE!

No te precipites. Haz acopio de alimentos, armas, una armadura de oro y algunos lingotes de oro para comerciar con piglins.

OBSIDIANA

Encontrarás obsidiana en todas las dimensiones. Se crea cuando el agua corre sobre una fuente de lava y es tan dura que solo se puede romper y recoger con un pico de diamante. Necesitarás 10 bloques como mínimo para tu portal.

¡ACTÍVALO!

Activa el portal con un chisquero de pedernal u otra fuente de fuego, como una descarga de fuego. Para usarlo, introdúcete en él durante 4 segundos.

FASES DE UN PORTAL

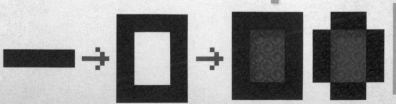

SUPER-CONSEJO

Un portal funcionará incluso sin obsidiana en las esquinas.

Nada te prepara para tu primera visita al Inframundo. El bioma más habitual son los Desiertos del Inframundo, un paisaje yermo cubierto de infiedra, extrañas criaturas y peligros.

FULGOR

Aunque es un lugar oscuro y tenebroso, los lagos y cascadas de lava y los cúmulos de piedra brillante son una fuente luminosa. Puedes romper y recoger bloques de piedra brillante con fines decorativos.

REGENERACIÓN

Ya sabrás que una cama es garantía de no perder tu progreso en el juego. Sin embargo, no intentes acostarte en tu cama en el Inframundo, porque explotará... ¡contigo en ella!

¡HOLA, CRIATURA!

CERDINES

Son criaturas neutrales, pero se volverán hostiles a menos que lleves puesta una armadura de oro. Este metal les obsesiona, y podrás comerciar con ellos para conseguir objetos interesantes como perlas de Ender.

PELIGROS

En el Inframundo hay multitud de criaturas, y muchas no se alegran nada de verte. Por si fuera poco, los pozos de lava que cubren el Inframundo no te pondrán nada fácil escapar...

BOSQUE CARMESÍ

¿LO VES?

Sabrás que has descubierto un bosque carmesí por sus frondosos champiñones y la niebla densa. Es uno de los lugares más temibles para un explorador, pero hay que verlo para creerlo.

¡HOLA, CRIATURA!

HOGLIN

Criatura nativa del bosque carmesí que vive en rebaños de 3 o 4 individuos y te atacará sin dudar. Si derrotas a uno, soltará entre 2 y 4 chuletas, una valiosa fuente de alimentación en el Inframundo.

GUIRNALDAS

El bosque carmesí posee una rica variedad de vegetación, incluyendo grandes champiñones carmesíes que parecen árboles. En el techo del Inframundo hay bloques de verruga de los que cuelgan enredaderas llorosas que puedes recoger y usar como decoración en el Mundo superior.

EN LLAMAS

No te alarmes por las partículas incandescentes que flotan en el aire. No te harán daño..., al contrario que los lagos de lava: ¡evítalos a toda costa!

Muchos exploradores sienten pavor en el Inframundo, seguros de que nunca lograrán escapar. Los valientes que continúen descubrirán territorios únicos, como 2 variantes de bosques del Inframundo: el bosque carmesí y el bosque deformado. Veamos lo que encontrarás en ellos.

BOSQUE DEFORMADO

¿ES SEGURO?

Aquí no se generan criaturas hostiles. Los Endermans no te harán daño si no los miras fijamente y los lavagantes que se pasean sobre los lagos de lava son pasivos.

VISIÓN BORROSA

Este bosque recibe su nombre del nylium deformado que lo cubre. Este bloque turquesa es una variante de la infiedra presente en casi todo el Inframundo y tiñe el bosque deformado con su inquietante oscuridad.

¡SORPRESA!

Aquí no encontrarás fuentes naturales de alimento, pero sí otros tipos de vegetación. Atento a las enredaderas enroscadas, que puedes partir y recoger. Te servirán para escalar y hasta ralentizarán caídas accidentales para evitar daño.

¡HOLA, CRIATURA!

LAVAGANTE

Se genera sobre la lava y puedes cabalgarlo para cruzar lagos de lava y acceder a lugares remotos. Tendrás que ensillarlo, y necesitarás un hongo deformado en un palo para dirigirlo. Le cuesta moverse en tierra firme.

BIOMAS:
VALLE DE ALMAS

El Inframundo está hecho de grandes zonas cavernosas, pero ninguna es tan peculiar como los valles de almas. Están hechos de fósiles del Inframundo y bloques raros como la arena o la tierra de almas.

FÓSILES

Los fósiles del Inframundo se encuentran en los valles de almas. Pueden alcanzar un tamaño gigantesco, lo que contribuye al ambiente fantasmal que predomina en este lugar.

EL AIRE HABLA

Por lo que dicen, estos valles son uno de los lugares más aterradores para explorar. En su atmósfera azul verdosa reverbera el sonido del viento y los susurros que este arrastra.

¡HOLA, CRIATURA!

GHAST

Estas criaturas voladoras fantasmales son muy hostiles. ¡No las mires fijamente! Si te dejas engañar por sus gemidos y te acercas demasiado, ¡te dispararán potentes bolas de fuego!

ARENA DE ALMAS

Te hará ir más lento, y a las criaturas también. Sirve para construir elevadores acuáticos, ya que emite una columna de burbujas que puede sacarte del agua.

DELTAS DE BASALTO

Deberías evitar a toda costa los deltas de basalto, uno de los lugares más peligrosos, incluido el Mundo superior y el Inframundo. Pero las cosas nunca son tan fáciles..., ¿verdad?

TERRENO

Los deltas de basalto son tan espectaculares como peligrosos. Sus acantilados escarpados y sus pozos ocultos de lava han sido el fin de muchos exploradores, así que sé prudente e intenta no chocar con nada.

¡HOLA, CRIATURA!

CUBO DE MAGMA

Aunque parece distinto al de limo, un bloque de magma se comporta de una forma similar, aunque salta más alto y puede hacerte mucho daño si te golpea mientras rebota a tu alrededor.

CREMA DE MAGMA

Una de las posibles recompensas de este bioma es la crema de magma que sueltan los cubos de magma. Sirve para elaborar pociones de Resistente al fuego o bloques de magma, que son una fuente de luz..., ¡pero no los pises!

ESTRUCTURAS GENERADAS: BASTIÓN EN RUINAS

Esta especie de castillos épicos son una estampa impresionante. Se encuentran por todo el Inframundo, excepto en los deltas de basalto. Hay 4 variantes, pero todas son inconfundibles.

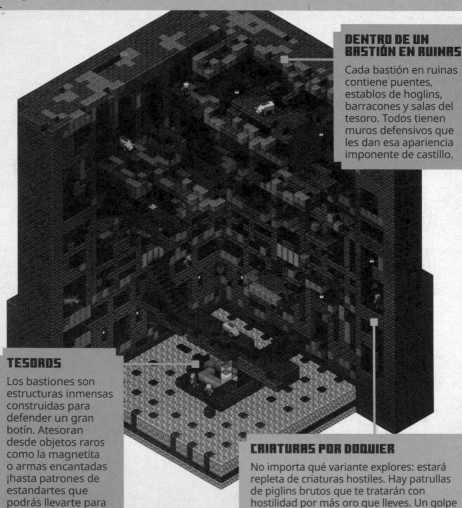

DENTRO DE UN BASTIÓN EN RUINAS

Cada bastión en ruinas contiene puentes, establos de hoglins, barracones y salas del tesoro. Todos tienen muros defensivos que les dan esa apariencia imponente de castillo.

TESOROS

Los bastiones son estructuras inmensas construidas para defender un gran botín. Atesoran desde objetos raros como la magnetita o armas encantadas ¡hasta patrones de estandartes que podrás llevarte para decorar tu casa!

CRIATURAS POR DOQUIER

No importa qué variante explores: estará repleta de criaturas hostiles. Hay patrullas de piglins brutos que te tratarán con hostilidad por más oro que lleves. Un golpe crítico podría hacer peligrar tu aventura; ¡no te despistes ni un momento!

FORTALEZA DEL INFRAMUNDO

Las Fortalezas del Inframundo son estructuras aterradoras que pueblan el Inframundo. Es difícil orientarse por sus puentes, corredores y torres, que están protegidos por criaturas exclusivas de esta estructura.

DURA DE ROER

Están hechas de ladrillos de Inframundo y son una de las estructuras generadas más difíciles de conquistar.

¡HOLA, CRIATURA!

BLAZE

Criatura hostil flotante con un ataque de triple bola de fuego que te hará mucho daño. Si lo derrotas, podría recompensarte con una vara de blaze, el ingrediente con el que se fabrica el Polvo de llama, un combustible esencial para elaborar pociones.

VELOCIDAD DE GENERACIÓN

Por aquí vagan blazes y esqueletos de Wither, que no se encuentran en ningún otro lugar. Además, se generan más criaturas de lo normal, así que necesitarás de toda tu experiencia como explorador para escapar.

BOTÍN

Conquistar una fortaleza del Inframundo te recompensará como nunca has imaginado. Los cofres de los corredores pueden contener armadura de caballo de oro, bloques de obsidiana, diamantes y verruga del Inframundo para pociones.

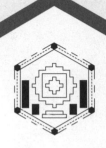

EL END

¡Enhorabuena! Has recorrido un largo camino y atravesado distintos terrenos, estructuras y hasta otra dimensión. Sin embargo, aún te aguarda una última prueba... Llegar al End requerirá de todas tus habilidades como explorador, pero ese será solo el primer reto. La supervivencia será aún más difícil. Bienvenido a la dimensión del End.

CÓMO LLEGAR AL END

FORTALEZA

Encontrar una fortaleza, que podrás localizar con un Ojo de Ender, tal vez te lleve a dar con un Portal del End (vuelve a la p. 74). Para hacer uno, necesitarás Polvo de llama y una Perla de Ender. No duran mucho, así que haz acopio antes de empezar tu búsqueda.

¡HOLA, CRIATURA!

ENDERMAN

¡Atención! Te habrás encontrado a esta criatura en tus viajes, pero en el End se generan habitualmente en grupos de 3 o 4. Son pasivos a menos que los mires a los ojos, momento en el que se vuelven hostiles y corren o se teletransportan para atacarte.

SALA DEL PORTAL

Una sala del portal ya contiene un portal, es decir, que no tendrás que fabricarlo como el Portal del Inframundo. De hecho, los bloques de Portal del End no se obtienen de forma natural y solo se encuentran en estas salas. Pero sí que tendrás que activarlo.

El End es uno de los lugares más difíciles de alcanzar de todo Minecraft. Tendrás que explorar gran parte del Mundo superior y el Inframundo para dar con los objetos que te llevarán hasta un Portal del End. Sin embargo, llegar a la dimensión del End no es más que el principio del desafío.

ACTIVACIÓN

Activar un Portal del End es sencillo: en cuanto tengas 12 Ojos de Ender, hechos de Polvo de llama y Perlas de Ender, coloca uno en cada bloque del portal para activarlo.

BLOQUE DE RTAL DEL END

OJO DE ENDER

TELETRANSPORTE

Una vez cumplidos todos los requisitos, podrás usar el portal para teletransportarte hasta el End. Basta con entrar en el portal para viajar hasta una plataforma de obsidiana en el End.

BIOMAS:
EL END

ENTORNO

La gran isla central está rodeada de islas más pequeñas, todas hechas de piedra de End, que puedes recoger con cualquier pico.

CONTACTAR

Hay mucho por descubrir en las islas pequeñas, pero 1000 espacios de bloque las separan de la principal y solo podrás acceder a ellas a través de los portales generados cuando derrotas al Dragón de Ender.

EL FIN DEL END

Una vez en esta dimensión, no podrás escapar a menos que te derroten o derrotes al Dragón de Ender, una criatura hostil que se genera en cuanto llegas. Si lo derrotas, se abrirán portales que te permitirán explorar las islas exteriores, así como un portal de salida que te devolverá a tu punto de regeneración del Mundo superior o el Inframundo.

El End es un entorno flotante, una dimensión oscura de aspecto galáctico. El terreno, hecho de piedra de End, genera islas que flotan en el vacío. Solo los exploradores más curtidos deberían aventurarse en esta dimensión, que contiene algunos de los mayores desafíos de tu viaje...

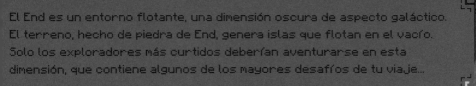

¡HOLA, CRIATURA!

EL DRAGÓN DE ENDER

¿Es un pájaro?, ¿es un avión? Es... el Dragón de Ender, una criatura hostil gigantesca que revolotea por los portales del End. Asesta latigazos letales y posee un ataque de aliento de ácido. Solo los exploradores más aguerridos derrotarán a este enemigo monstruoso.

ESTRUCTURAS

En las islas exteriores hay estructuras únicas e interesantes, como ciudades de End y barcos de End. Estas naves tienen fabulosos tesoros, como los exclusivos élitros, que podrás usar para volar en cualquier dimensión. ¡No olvides llevártelos antes de marcharte!

PEQUEÑA O RASCACIELOS

En la ciudad hay 2 tipos de torres: las pequeñas están vacías y contienen apenas algunas losas púrpuras y una escalera de caracol. En los rascacielos hay más recompensas, pero también escaleras dobles por las que cuesta orientarse, aunque al menos están iluminadas con varas de End.

Las ciudades del End se localizan en las islas más pequeñas del End. Incluyen varias torres de ladrillo de piedra de End y bloques de púrpura decorativos. Las encontrarás agrupadas en grandes complejos, o en torres solitarias separadas por miles de bloques.

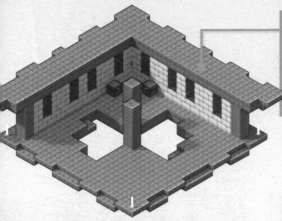

SALAS

Los tipos de salas por explorar varían de torre a torre. Hay salas con estandartes originales que cuelgan por fuera y un shulker en el techo. En las salas de botín hay 2 cofres, cada uno con una recompensa valiosa.

COFRES DE ENDER

Tal vez descubras uno en una ciudad de End. Son como los cofres normales, pero su contenido es único para cada jugador. ¡Obtendrás recompensas que nadie más tendrá! Además, podrás acceder a su botín desde cualquier otro cofre de Ender.

REGRESAR AL MUNDO SUPERIOR

En el End hay tanto que explorar que tal vez nunca sientas que llega la hora de marcharte y volver al Mundo superior. Si quieres volver a tu base con todo lo que has recogido, vete al portal de salida. ¡En el Mundo superior queda mucho por descubrir!

¡ADIÓS!

¡Menudo viaje! Hemos explorado todo el Mundo superior, hemos recorrido el Inframundo y hasta hemos visitado el End.

Solo te queda una cosa por hacer: toma todo lo que has aprendido y encuentra tu propio camino.

¿Adónde irás? Tal vez puedas domar un camello en el desierto junto a un amigo para que os lleve hasta la costa. O tal vez te apetezca comerciar con cerdines y conseguir tesoros... ¡No olvides los lingotes de oro! O puede que en tus viajes hayas encontrado el lugar ideal para una nueva base desde la que organizar futuras expediciones.

Vayas adonde vayas, siempre habrá nuevos objetivos a la vista. Ten siempre el inventario lleno y no pierdas nunca la curiosidad.

Continúa tu viaje con la colección oficial de Manuales Minecraft. Tienes las guías definitivas para el modo Supervivencia, el modo Creativo, el Combate, el Redstone, pero sobre todo...

¡DISFRUTA DE TUS AVENTURAS!

—ESTUDIOS MOJANG

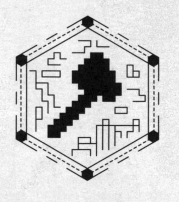